Le pique-nique de Germina

Violaine Fortin

Illustrations de Jean-Pierre Beaulieu

SAUTE-MOUTON

ÉDITIONS
MICHEL
QUINTIN

Données de catalogage avant publication (Canada)

Fortin, Violaine

Le pique-nique de Germina

(Saute-mouton : 7)

Pour les enfants de 6 ans.

ISBN 2-89435-143-7

I. Beaulieu, Jean-Pierre. II. Titre. III. Collection : Saute-mouton (Waterloo, Québec) ; 7.

PS8561.O757P56 2000   jC843'.54   C00-941141-0
PS9561.O757P56 2000
PZ23.F67Pi 2000

Révision linguistique : Monique Herbeuval
Conception graphique : Standish Communications
Infographie : Tecni-Chrome

La publication de cet ouvrage a été réalisée grâce au soutien financier de la SODEC et du Conseil des Arts du Canada. De plus, les Éditions Michel Quintin bénéficient de l'aide financière du gouvernement du Canada par l'entremise du Programme d'aide au développement de l'industrie de l'édition (PADIÉ) pour leurs activités d'édition.

ISBN 2-89435-143-7
Dépôt légal - Bibliothèque nationale du Québec, 2000

© Copyright 2000
Éditions Michel Quintin
C.P. 340, Waterloo (Québec)
Canada J0E 2N0
Tél.:   (450) 539-3774
Téléc.: (450) 539-4905
Courriel: mquintin@sympatico.ca

1 2 3 4 5 6 7 8 9 0 H L N 3 2 1 0
Imprimé au Canada

*À ma mère
qui a su faire
de chaque repas
une fête*

1

Germina popote

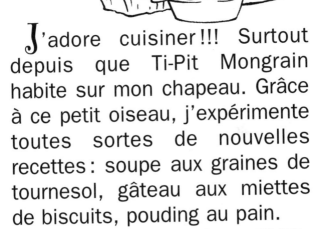

J'adore cuisiner !!! Surtout depuis que Ti-Pit Mongrain habite sur mon chapeau. Grâce à ce petit oiseau, j'expérimente toutes sortes de nouvelles recettes : soupe aux graines de tournesol, gâteau aux miettes de biscuits, pouding au pain.

Avant de connaître Ti-Pit, j'avais déjà un succès fou avec

mes recettes originales : pizza aux guimauves et chocolat, ratatouille aux fruits confits, lasagne au beurre d'arachide.

Ti-Pit adore inviter ses amis à plumes à manger à la maison. Les corneilles dévorent mes gâteaux au nougat, les hirondelles adorent mon spaghetti aux chanterelles et les moineaux raffolent de mon jello. Je me suis habituée à leur brouhaha et, maintenant, je suis heureuse quand ils piaillent autour du repas que je leur ai fricoté.

2

Le pique-nique

Voilà qu'un jour, mon Ti-Pit veut m'emmener faire un pique-nique à la campagne.

— Moi! À la campagne! Tu as perdu la tête! C'est bien trop grand, on pourrait s'y perdre!

— Mais non, Germina. Je connais un bon endroit, tu vas adorer!

— Et puis les animaux féroces, les plantes carnivores, les crottes de chameau ???

— Germina, je sais que tu as peur, mais fais-moi confiance. Rappelle-toi ta première sortie en forêt !

Et Ti-Pit se blottit dans mon cou en roucoulant doucement pour me convaincre... Évidemment, ça marche !

Je suis très nerveuse à l'idée de pique-niquer dans la vraie campagne. Dans une grande agitation, j'élabore un menu

gargantuesque. Toute la mati-
née je coupe, je râpe, je cuis, je
brûle... oups! Mais finalement,
le dîner est réussi :
- fricassée de légumes au
  caramel;
- sandwichs à la compote de
  citrouille;
- chaudrée de blé d'Inde et
  bananes;
- gâteau aux cerises
  dégoulinantes;
- ragoût de suçons verts;
et j'en passe.

Ti-Pit, mon marmiton, se charge de la décoration. Un petit brin d'herbe par-ci, une graine de sésame par-là, c'est très joli.

— Voilà, Germina, nous sommes prêts!

— Un instant, monsieur le pressé, tu oublies le plus important: le panier d'osier et la nappe carreautée! Un peu de classe tout de même!

3

Odeur de campagne !

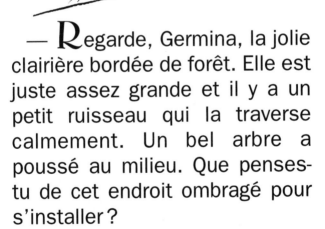

— **R**egarde, Germina, la jolie clairière bordée de forêt. Elle est juste assez grande et il y a un petit ruisseau qui la traverse calmement. Un bel arbre a poussé au milieu. Que penses-tu de cet endroit ombragé pour s'installer ?

— C'est vrai que ce petit coin est joli. Mais ça pue !

— Qu'est-ce que tu dis, Germina?

— ÇA PUE!

Ti-Pit se tourne vers moi. Ses yeux s'agrandissent comme des pamplemousses. Il se tord de rire quand il voit mes chaussures. Il rigole tellement qu'il glisse à terre.

Je comprends alors l'odeur nauséabonde. J'ai les deux pieds plantés au milieu d'une énorme bouse de vache bien fraîche.

— OUACHHH!!! C'est dégueulasse!

— Germina, regarde, voilà justement la responsable qui arrive. Allons à sa rencontre...

—Une vache? Tu veux que je RENCONTRE une vache? Et si c'était un taureau déguisé en fille?

Ti-Pit ne m'écoute plus. Il vole

vers la vache qui s'approche d'un pas hésitant.

— Bonjour, madame! Je m'appelle Gretta.

Elle me regarde avec ses beaux yeux bruns et je m'aperçois qu'elle rougit timidement. Elle est charmante.

— Bonjour, je suis Germina. Heureuse de faire votre connaissance ! Voulez-vous dîner avec nous ?

Je sais, c'est bizarre d'inviter une vache à dîner, mais si vous aviez vu ses yeux... irrésistibles !

4

Les amuse-gueules

J'étends la nappe à carreaux et je déballe mon super pique-nique tout en me demandant si Gretta appréciera ma cuisine. Tout à coup, d'autres animaux s'approchent de notre arbre.

D'abord, il y a deux lièvres qui font des culbutes et sautillent en rigolant. Aussitôt, je regrette de ne pas avoir fait mon potage aux carottes. Puis, une petite taupe s'avance à tâtons. Enfin, une grosse marmotte arrive en se dandinant lourdement.

Ti-Pit les accueille avec enthousiasme. Gertrude, la marmotte, goûte à tout ce que je pose sur la nappe. Ravie, elle dit que je suis une excellente cuisinière.

Assis dans un coin, Georges, la taupe, a la baboune. Pour le

mettre à l'aise, je lui offre de petits amuse-gueules de ma confection : canapés en forme de clowns, farce au riz et brocoli et, bien sûr, des pets de sœur.

Mais Georges fait toujours la fine gueule. Tant pis ! Je passe aux autres invités. J'offre quelques canapés à Rata et Touille, les deux lièvres. Ces galopins

pirouettent en grimaçant au-
dessus de mon renversé à
l'ananas. Je m'inquiète sérieu-
sement quand leurs culbutes les
rapprochent dangereusement de
mes tartes à la crème. Pour
faire diversion, je crie :

« C'est prêt ! À table ! »

5

On mange !

Cette simple petite phrase déclenche une cohue monstre. D'un seul mouvement, le groupe se jette en se bousculant sur la nourriture. Gertrude, la marmotte, s'empiffre tellement que ses bajoues sont prêtes à éclater. Heureuse, elle rit aux éclats, sa bouche ouverte dévoilant son contenu

mâchouillé. J'en échappe ma fourchette de moutarde !

Georges, la taupe, a toujours sa face de carême. Il dédaigne mon délicieux dîner.

— Vous savez, Georges, si ça ne vous plaît pas, vous pouvez le dire.

— Madame Germina, sans vouloir vous offenser, j'ai apporté mon propre lunch. J'ai horreur de la nourriture inerte et immobile.

— INERTE ? Ma nourriture est inerte ! Tu ne voudrais quand même pas que mes spaghettis dansent le rock'n'roll !

— Justement, c'est tellement plus excitant quand ça grouille !

Là-dessus, il sort de sa boîte à lunch un bol de gros vers de terre luisants et gigotants. Il en prend un délicatement entre ses dents et l'aspire d'une traite... SLURP!

Pour la première fois, Georges sourit. Il me dit en riant:

— Ça chatouille!!!

J'en laisse tomber ma cuillère pleine de sauce au yogourt.

Pendant ce temps, Gretta, la vache, mâche calmement sa bouchée de salade. Les yeux à moitié fermés, elle mastique et mastique encore d'un mouvement prononcé de la mâchoire. C'est un peu disgracieux, mais ça a l'air normal. Tout à coup, RRROOOOTTT!... elle lâche un gros rot retentissant sous mon nez! Sans aucune gêne, Gretta poursuit sa lente mastication.

J'en échappe ma cuillère pleine de confiture de pissenlit.

— J'ai entendu dire qu'une bonne mastication aide à la digestion, dis-je, pour chasser mon malaise.

— Surtout quand on a quatre estomacs! RRROOOTTT!!

— Quatre estomacs? Pauvre Gretta, vous devez toujours avoir faim!

C'est à ce moment-là que Rata
et Touille changent de manège.
Jusqu'ici, ils s'étaient contentés
de dévorer la salade de carottes
en se lançant des olives à la
tête. Mais voici qu'entre deux
culbutes, Touille se penche vers
son derrière pour y cueillir une
petite crotte ronde et fraîche. Il
la porte délicatement à sa
bouche.

29

— Il ne va tout de même pas… Mais oui, il la mange !!?

Ça me soulève le cœur ! Blanche comme un drap, prête à vomir, j'en échappe ma crêpe au coulis.

6

Un invité
de classe

Pour me ressaisir, je respire un grand coup. Soudain, un immense oiseau plane au-dessus de notre pique-nique. Mes invités arrêtent de manger et lèvent la tête, ébahis. Plus un bruit de rot ou de rire gras. Dans un bruissement d'ailes, l'oiseau vient se poser sur la nappe. Il est magnifique ce hibou tout

blanc. Ti-Pit, très impressionné, me glisse à l'oreille que c'est un harfang des neiges. Sa visite est inattendue puisque ces oiseaux vivent habituellement plus au nord. Bon, eh bien, brisons la glace.

— Bonjour, monsieur le har-fang, je m'appelle Germina. Voulez-vous manger avec nous?

— Je m'appelle Édouard. Vous êtes bien aimable, ma chère, de m'offrir une bouchée.

Enfin quelqu'un de bien élevé!

— Monsieur Édouard, je suis enchantée, de vous recevoir à ma nappe.

Édouard saisit délicatement dans ses serres une cuisse de poulet et... l'avale tout rond!!!

— Vous avez bon appétit.

— Madame, votre cuisine ravirait n'importe quel palais !

Édouard sourit ; Germina tombe sous le charme. Son invité gonfle le torse et... le conte de fées prend fin : il crache une boulette contenant les os de poulet qu'il n'avait pas mastiqués. Je tombe dans le pouding qui s'écrabouille sous mes fesses.

— J'ai re-mal au cœur, je suis dégoûtée!

Ti-Pit s'inquiète:

— Germina? Tu es toute pâle. Ça ne va pas?

— Non, ça ne va pas du tout. Entre Gretta, la vache, qui rote sous mon nez et Georges, la taupe, qui ingurgite ses vers de terre gigotants. Entre Gertrude,

la marmotte, qui montre son dîner mâchouillé et Rata et Touille qui assaisonnent mes salades de crottes maison. Et, pour terminer le festival des horreurs, Édouard, le harfang des neiges, qui se donne de grands airs en régurgitant grossièrement des boulettes de nourriture non digérée! Non! Ti-Pit, ça ne va pas!... Ma robe est toute tachée et j'ai mal au cœur!!!

7

Pauvre Germina!

Les invités sont satisfaits de ce magnifique buffet. Pleins de reconnaissance, ils viennent me remercier. Ils me découvrent complètement déconfite, la robe étoilée de nourriture et le bol de pouding collé au derrière.

Pour me faire plaisir, mes invités décident alors d'organiser une partie de ballon-chasseur.

C'est une très bonne idée, car j'ai besoin de me remuer. Après ce jeu enlevé, le groupe revient vers la nappe pour se reposer et grignoter.

Hélas, une colonie de fourmis est en train de déguerpir avec les restes de mon mémorable pique-nique. Après un bref moment de surprise, je ris de bon cœur.

Décidément, je ne m'attendais pas à avoir autant de succès avec mes recettes. Ti-Pit, ravi de sa journée, me suggère de créer, avec nos nouveaux amis, un club de dégustation.

— Tu es fou, Ti-Pit! Tu ne crois quand même pas que je vais goûter aux petits plats de la taupe, de la vache et de tous les autres.

— Pourquoi pas, Germina! C'est si bon un potage aux vers gluants, une tarte aux mouches, un pouding de chenilles poilues...

Table des matières

La collection LE CHAT & LA SOURIS